ISBN 2-84117-010-4

Editions SEDRAP
BP 1365 31106 TOULOUSE cedex

TOM POUCE

Illustré par Rene CLOKE
Textes de Armand Galy

Editions SEDRAP

TOM POUCE

C'est l'histoire d'un petit garçon
un très petit garçon
un tout petit garçon
pas plus grand que le pouce.
Son Papa l'appelle TOM POUCE.
Sa Maman l'appelle TOM POUCE.
Ses parents l'aiment beaucoup !

TOM POUCE est un garçon si petit
qu'avec la moitié d'une noix,
il fait un bateau et
avec une cosse de petits pois,
il fait un petit lit.

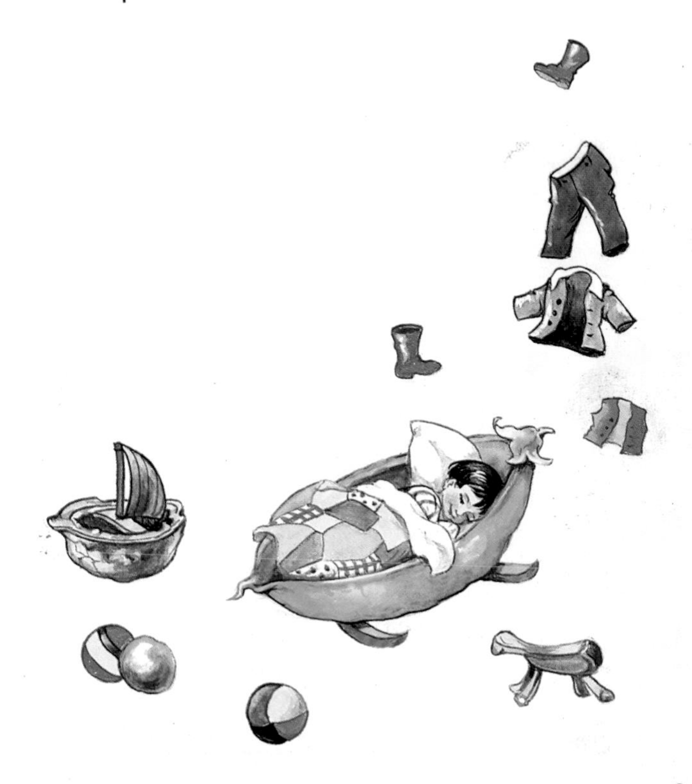

Le Papa et la Maman de TOM POUCE
ont un joli cheval.
TOM POUCE se glisse
dans l'oreille du cheval pour le guider.

Les parents de TOM POUCE
peuvent s'installer
à l'arrière de la charrette.
TOM POUCE dirige le cheval
en criant dans son oreille :
"Avance !... Arrête !"

Deux hommes étonnés
admirent TOM POUCE.
"Je l'achète !"
dit l'un des deux.

Le Papa de TOM POUCE
ne veut pas vendre son tout petit garçon.
Mais TOM POUCE insiste.
Il veut que ses pauvres parents
puissent obtenir un peu d'argent.
Ils sont si pauvres !
"Ne vous inquiétez pas, je reviendrai vous voir !".

TOM sait bien
qu'il n'aura aucune difficulté
pour s'échapper et
rejoindre bientôt
la maison de ses chers parents.
"Pour se cacher, c'est
facile !". Et il entre
dans un petit trou
de souris !

Mais l'aventure ne fait
que commencer ! TOM déjà repart.
Il dit "au revoir" à la souris
et il marche toute la journée.
Maintenant, il a sommeil.
Par chance, il rencontre
une coquille vide d'escargot.
"Bonne nuit, TOM !" dit la coccinelle.

De retour à la maison,
TOM POUCE décide
de repartir.
Il aime l'aventure !
Discrètement, il se glisse
dans un bol. Mais ce bol contient la pâte à gâteau. Heureusement, la pâte à gâteau protège bien de la chaleur.
Le gâteau est cuit,
TOM a eu très chaud
mais il est en
pleine forme !

La maman de TOM pleure :
TOM a encore disparu !
Elle donne le repas au Papa qui part au travail. Papa a posé le repas dans l'herbe. Et voila que TOM profite de l'occasion pour s'échapper et pour retourner à la maison.

TOM aime se promener
et ses parents l'ont bien compris.

"Je vais chercher le lait,
viens avec moi, mon petit
chéri !" dit sa maman.

Quel bonheur
d'être assis sur
une fleur !
Le papillon et
l'abeille
sont un peu étonnés :
ils n'ont jamais vu
un si petit garçon !

Soudain, une vache s'avance.
Elle a faim.
Heureusement, elle a aperçu TOM.
Son souffle l'a fait tomber !

Quel bonheur
de se promener parmi les fleurs !
Des fleurs de toutes les couleurs et
des fleurs de toutes les odeurs.

Mais voilà qu'un jour,
un aigle passe par là.
Il a pris entre ses griffes
le petit TOM désespéré.

TOM crie et s'agite beaucoup.
Il crie et s'agite tellement,
que l'aigle le laisse tomber
dans l'eau.

Un poisson se précipite sur TOM.
Le poisson a faim,
il a tellement faim
qu'il avale TOM.

TOM ne reste pas longtemps dans l'eau. En effet, un pêcheur se tient là sur un rocher. "Voilà un joli poisson qui va plaire au Roi car il aime bien manger du poisson frais !"

Quelle surprise pour le cuisinier du roi !
Dans le ventre du poisson
il aperçoit TOM
ravi d'être enfin libre.

Le cuisinier offre TOM
à la famille royale.

"Voilà un beau jouet !
Un jouet original
pour mes enfants",
dit la reine émerveillée.

Mais TOM n'est pas un jouet !
C'est un petit garçon qui en a assez !
Il en a assez, de servir de jouet.
"Je veux retourner à la maison !"

TOM est triste.
Les enfants ont compris
qu'il fallait le libérer.

TOM peut retourner chez lui.
Ses parents sont heureux
de le retrouver.
Ils l'embrassent très fort !

"Non, jamais, jamais et jamais
je ne repartirai !".
Et TOM resta sagement
vivre avec ses parents.